ISBN 978-0-484-96501-9
PIBN 10348020

KONGL. SVENSKA VETENSKAPS-AKADEMIENS HANDLINGAR. Bandet 13. No 2

NACHTRÄGE ZUR MIOCENEN FLORA GRÖNLANDS,

ENTHALTEND

DIE VON DER SCHWEDISCHEN EXPEDITION IM SOMMER 1870 GESAMMELTEN MIOCENEN PFLANZEN.

VON

OSWALD HEER.

MIT 5 TAFELN ABBILDUNGEN.

AN DIE KÖNIGL. SCHWEDISCHE ACADEMIE D. WISS. EINGEREICHT DEN 6 FEBRUAR 1874.

STOCKHOLM, 1874.
P. A. NORSTEDT & SÖNER

Im ersten und zweiten Band der fossilen Flora der Polarländer habe ich die mir bis zum J. 1869 bekannt gewordenen miocenen Pflanzen Grönlands beschrieben. Die Mehrzahl kam von Atanekerdluk, welches eine der reichsten Fundstätten fossiler Pflanzen geworden ist; einige aber auch von der Insel Disco, namentlich von Ujarasusuk und Kudliset. Es hat Nordenskiöld mit seinen Begleitern auch diese bekannten Lokalitäten besucht und Versteinerungen daselbst gesammelt, sein Hauptaugenmerk aber auf das Auffinden neuer Fundorte fossiler Pflanzen gerichtet. Ein Blick auf die Kreideflora der arctischen Zone zeigt uns in wie grossem Umfang ihm diess für die Ablagerungen der Kreidezeit gelungen ist, indem durch seine vom glücklichsten Erfolg gekrönten Bemühungen eine sehr reiche und ganz neue Flora aus den Felsen Grönlands hervorging. An miocenen Pflanzen konnte seine Ausbeute nicht so viel Neues bringen. Immerhin hat sie der Flora Grönlands eine Zahl neuer Arten hinzugefügt und belehrt uns über die Veränderungen, welche während der mächtigen Basaltausbrüche in der Pflanzenwelt Grönlands vor sich gegangen sind.

Nach den Lagerungsverhältnissen hat Nordenskiöld die miocenen Fundstätten fossiler Pflanzen Grönlands in drei Gruppen gebracht. [1])

1:stens die *untersten*, bestehend aus Sand, Sandstein mit Schiefern, Kohlenbändern und eisenhaltendem Thon. Dahin gehört Ober-Atanekerdluk mit seiner reichen Flora, die einen untermiocenen Charakter hat; ferner auf der Disco Insel: Iglosungoak und Isungoak.

2:tens die *mittlern* oder *Ifsorisok Lager*. Zwischen mehreren tausend Fuss mächtigen Lagern von Basalt, Tuff und Lava liegen Schichten von Sand und eisenhaltendem Thon, welche die fossilen Pflanzen enthalten. Sie sind ungefähr in der Mitte der Basaltformation. Solche Stellen sind:

a. *Netluarsuk*, nordwestlich von Atane, am Ausgang des Waigat zwischen Noursoak und Noursak, etwa 1,000 Fuss über Meer. Zwischen dem Basalt sind Lager von Sand, Schiefer, Kohle und braunem Thoneisenstein. Dieser ist wie in Ober-Atanekerdluk mit Pflanzenresten angefüllt.

b. *Ifsorisok*, nordöstlich von Netluarsuk (etwa in 70° 40' n. Br.), 12 Meilen von der Küste und etwa 2,250 F. ü. M. Ein weicher sandiger Thon, wechselnd mit dünnen Kohlenbändern, enthält die Pflanzen. Sie ruhen auf Basalt, welcher weiter im Innern hohe Berge bildet. Der Kinnitak zwischen Niakornet und Ekkorfat ist der nächste und erreicht etwa 6,000 Fuss Höhe. Er scheint auch ganz aus eruptiver Gebirgsmasse zu bestehen.

c. *Asakak;* in der Nähe von Kome auf der Nordseite der Halbinsel Noursoak befindet sich der Asakakgletscher, dessen Oberfläche mit Steinen bedeckt ist, zwischen

[1]) Vgl. Nordenskiöld expedition to Greenland. S. 57.

welchen verkohltes und verkieseltes Holz häufig vorkommt. Es gelang zwar NORDENSKIÖLD nicht die Lagerstätte desselben aufzufinden, dagegen entdeckte er in einem rauhen Sandstein fossile Pflanzen, welche an der miocenen Natur desselben nicht zweifeln lassen.

3:tens. *Die Obern Lager.* Lager von Sand und Thon am südlichen Ufer der Disco Insel. Sie sind nach NORDENSKIÖLD jünger als der Basalt, der dort die Gneisfelsen überlagert. Er glaubt nemlich, dass sie zwischen die Basaltfelsen eingelagert worden seien und denselben aufliegen und dass sie jünger seien als die gesammte Basaltformation. Damit stimmt sehr wohl die Flora von Puilasok, die einen obermiocenen Anstrich hat, nicht aber die Pflanzen des eisenhaltenden Thones von Sinifik, den NORDENSKIÖLD ebenfalls hierher rechnet, da sie mit denen von Ober-Atanekerdluk übereinstimmen. Nach den Pflanzen zu schliessen muss Sinifik älter sein als Puilasok. Das Material, welches die Pflanzen in Puilasok einschliesst, ist sehr verschieden von dem der übrigen Lokalitäten. Es ist ein schwarzer oder schwarzgrauer Sand oder weicher, sandiger und schiefriger Thon, der ganz erfüllt ist von sehr stark verkleinerten und zertrümmerten Pflanzenresten. Das folgende von NORDENSKIÖLD mir mitgetheilte Profil veranschaulicht die Lagerungsverhältnisse.

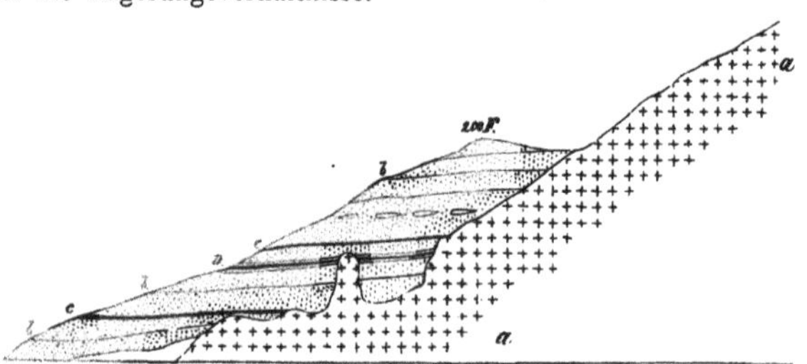

a. Horizontale Lager von Basalt und Basaltstuff. *b.* Sand und weicher Sandstein. *c.* Kleine, unregelmassige Kohlenlager. *D.* Sandiger Schiefer mit Pflanzenresten.

Ich habe von sechs der angeführten Lokalitäten von NORDENSKIÖLD Pflanzen erhalten, denen ich noch einige beifüge, die mir von Atanekerdluk bekannt geworden sind.

I. OBER-ATANEKERDLUK.

1. *Sequoia Langsdorfii* BRGN sp. Taf. II. Fig. 5.

Ich habe schon in der Flora fossilis arctica I. Taf. XLV. Fig. 11—16. und II. Taf. XLIII. Fig. 1. 2. Zapfen dieses Baumes abgebildet. Bei Fig. 5. haben wir die Seitenansicht des aufgesprungenen Zapfens. Die nach oben schildförmig verbreiterten Zapfenschuppen stehen um eine ziemlich starke Achse herum, an welcher kleine Vertiefungen die Insertionsstelle von abgerissenen Zapfenschuppen bezeichnen, welche wahrscheinlich auf die Gegenplatte gekommen sind.

2. *Sequoia brevifolia* Hr.? Taf. II. Fig. 7. 8.

Heer Flora foss. arctica I. S. 93.

Wir kennen von Atanekerdluk drei Sequoia-Arten, die S. Langsdorfii, S. Couttsiae und S. brevifolia. Von den beiden ersten sind uns die Zapfen bekannt; die Fig. 7. und 8. abgebildeten Zapfen sind durch die Grösse ihrer Schuppen von denselben verschieden und müssen einer dritten Sequoia angehören, daher wir sie wohl zu S. brevifolia zu bringen haben.

Bei Fig. 8. sind nur drei Zapfenschuppen erhalten, von denen namentlich die zwei obern sehr schön ausgeprägt sind. Sie haben eine Breite von 13 Mill. und eine Höhe von 5 Mill., sind also sehr in die Breite gezogen. Ueber die Mitte geht eine tiefe Querfurche, von der zahlreiche feine Querstreifen fast strahlenförmig gegen den Rand laufen. Ueber die Grösse des ganzen Zapfens geben diese Schuppen keinen Aufschluss. Mehr ist diess der Fall bei Fig. 7. Sie stellt den Abdruck eines Zapfens dar, welcher wahrscheinlich dieselbe Grösse hatte, wie derjenige der S. Langsdorfii, die einzelnen Schuppen aber stimmen in Grösse mit Fig. 8. überein. Sie sind auch sehr in die Breite gezogen, aber zum Theil aus einander gefallen. Sie waren auch von einer tiefen Querfurche durchzogen.

3. *Cyperus* spec. Taf. III. Fig. 4. vergrössert 4. b.

C. Spiculis lanceolatis, squamis apice obtusis.

Das Aehrchen Fig. 4. hat eine Länge von 6 Mill. und eine Breite von 3 Mill.; ist nach vorn verschmälert. Es ist aus zweizeilig geordneten, dicht über einander liegenden, vorn ziemlich stumpfen Schuppen gebildet. Von Cyperus arcticus durch die vorn nicht zugespitzten Schuppen verschieden.

4. *Ostrya Walkeri* Hr. Taf. III. Fig. 13.

Heer Flora foss. arctica I. S. 103.

Der Fig. 13. abgebildete Fruchtbecher ist bedeutend grösser, als die von mir früher dargestellten, aber in gleicher Weise von 8 Längsnerven durchzogen, zwischen welchen ein feines Netzwerk liegt.

5. *Fagus Deucalionis* Ung. var. Taf. III. Fig. 12.

Heer Flora foss. arctica I. S. 105. Taf. VIII. 1—4. X. 6. XLVI. 4.

Fig. 12. stellt ein fast vollständig erhaltenes Blatt dar. Es weicht von den uns bis jetzt bekannten Blättern der F. Deucalionis durch den Mangel an Zähnen ab und stimmt in diesem Merkmal mit der F. Antipofii überein. Das Blattgeäder aber weist das Blatt zu F. Deucalionis. Es hat jederseit nur 10 bis zum Rand reichende Secundarnerven, während F. Antipofii deren 13—15 besitzt. Diese Secundarnerven stehen daher weniger dicht beisammen. Die Felder sind mit theils durchgehenden, theils gablig getheilten, fast parallelen Nervillen erfüllt.

II. IGLOSUNGOAK auf der Insel Disco.

Von dieser Stelle sind mir nur wenige Stücke zugekommen. Die Pflanzen sind in dem rauhen Sandstein und in dem eisenhaltenden, innen dunkelgrauen, aussen rostbraunen Thon schlecht erhalten. Sie gehören zu 7 Arten.

1. *Pteris Sitkensis* Hr. Taf. I. Fig. 6. a. (auf der Tafel irthümlich als Fig. 9.)
   Heer Flora fossilis Alaskana S. 21. Taf. I. Fig. 7. a.
   Eine einzelne Fieder, welche wohl stimmt zu dem Farn von Sitka. Sie ist in tiefe Lappen gespalten, die nur am Grunde verbunden sind. Sie sind auswärts etwas verschmälert, am Rande gezahnt; die Zähne sind scharf. Vom Mittelnerv gehen gablig getheilte Seitennerven aus, welche in die Zähne ausmünden. Die obersten Seitennerven sind einfach.
   Bei dem Blatt von Sitka liegen Zweige des Glyptostrobus dasselbe ist der Fall bei dem Blatt von Iglosungoak.

2. *Glyptostrobus europaeus* Brgn spec. Taf. I. Fig. 6. b. c.
   Heer Flora foss. arctica I. p. 90. 135.
   Mehrere Zweige mit angedrückten schuppenförmigen Blättern.

3. *Sequoia Couttsiae* Hr.
   Heer Flora foss. arctica I. 94. II. Greenland p. 464.
   Einzelne, doch wenig deutliche Zweige.

4. *Populus Richardsoni* Hr.
   Heer Flora foss. arctica I. S. 97. 137. 158. II. Greenland p. 468.
   Ein einzelner Blattfetzen.

5. *Populus arctica* Hr.
   Heer Flora foss. arctica I. S. 100. 137. 158. II. Greenland p. 468.
   Ebenfalls nur einzelne Blattfetzen.

6. *Salix elongata* O. Web. Taf. III. Fig. 8.
   S. foliis longissimis, elongato-lanceolatis, basi attenuatis, nervo medio gracili.
   Dunker und Meyer Paléontographica II. S. 177.
   Heer Flora tertiaria Helvetiae II. S. 31.
   Es ist nur die untere Hälfte des schmalen Blattes erhalten. Es ist ganzrandig, gegen den Grund zu verschmälert und mit einem dünnen Mittelnerv versehen. Durch diesen unterscheidet es sich vornemlich von der S. longa Alex. Br., der es sonst sehr ähnlich sieht.

7. *Platanus* spec.
   Nur ein Blattfetzen, der nicht entscheiden lässt ob er zu Pl. aceroides oder Guillelmae gehört.

III. NETLUARSUK.

Das sehr harte, schwere, braune und eisenhaltende Gestein ist mit Pflanzenresten erfüllt, unter denen die beblätterten Zweige des Taxodium dermassen vorherrschen, dass einzelne Reste fast auf jedem Stein zu sehen sind, viele Steinplatten aber davon ganz bedeckt sind. Zwischen diese Zweige eingestreut sind die Samennüsschen der Biota, während die Zweiglein dieses Lebensbaumes selten sind. Auffallend ist das Fehlen der Taxodium-Zapfen, auch von der Biota sind mir nur wenige Zäpfchen zugekommen. Häufiger sind Zweigstücke der Sequoia Sternbergi; wogegen die Zweige der Sequoia Langsdorfii hier fehlen. Dass dieser Baum indessen dieser Gegend nicht gefehlt hat, beweist ein Zapfen desselben, der zwischen Taxodium-Zweigen liegt. Zwei Tannzapfen stimmen zu einer Art, welche bis jetzt nur vom Banksland (der Baring Insel) bekannt war (Pinus Macclurii Hr), die Nadeln konnte ich aber dazu nicht finden. Die Laubblätter sind sehr vereinzelt in die Reste der Nadelhölzer eingestreut und meist nur in Fetzen erhalten. Es stand daher in Netluarsuk ohne Zweifel ein Wald von Sumpfcypressen, gemischt mit Lebensbäumen und Sequoia Sternbergi, hier und da wohl auch mit Glyptostrobus und Pinus Macclurii und einzelnen Laubbäumen (Pappeln und Platanen) und Sträuchern von Hasselnuss.

1. *Polyporites Sequoiae* m. Taf. I. Fig. 1. a.

P. pileo suberoso, zonato, radiatim striato.

Liegt auf demselben Stein mit Zweigen der Sequoia Sternbergi und Nüsschen von Biota und mag wohl an Sequoienstämmen gewachsen sein.

Der Pilz liegt von der obern Seite vor; die eigenthümlich runzelige Beschaffenheit des Hutes macht es wahrscheinlich, dass er korkig gewesen ist. Es hat der halbkreisförmige Hut eine grösste Breite von 55 Mill. Mit dem bogenförmigen Aussenrand laufen zahlreiche Bogenlinien parallel, die von ganz unregelmässigen, welligen, von der Basis zum Rande gehenden Streifen gekreutzt werden. Es bekommt davon die Oberfläche ein unregelmässig runzeliges Aussehen. Von der Unterseite des Pilzes ist nichts zu sehen, daher eine genauere Gattungsbestimmung nicht möglich.

2. *Muscites subtilis* m. Taf. I. Fig. 7. vergrössert 8.

M. caulibus ramosis, subtilissimis, foliis distichis, ovalibus, nervo medio conspicuo.

Mehrere sehr zarte Stengelchen liegen beisammen und haben wahrscheinlich einen Rasen gebildet. Sie sind vielfach veraestelt und die Aeste zum Theil gegenständig. Sie sind mit sehr kleinen, zweizeiligen Blättern besetzt. Die Blätter sind oval, vorn stumpflich, sitzend und von einem sehr deutlichen bis zur Blattspitze reichenden Mittelnerv durchzogen.

3. *Biota borealis* m. Taf. I. Fig. 13—29.

B. ramulis alternis, compressis, foliis squamaeformibus, adpressis, quadrifariam imbricatis, lateralibus falcatis, acuminatis, facialibus subrhombeis, lateralibus longitudine subaequalibus, obtusis, apice brevissime apiculatis, dorso carinatis; strobilis obovatis, squamis oblongo-obovatis, apice mucronatis, seminibus ovatis, angulatis.

Thujopsis europaea HEER Flora arctica I. p. 90. Taf. L. Fig. 11. a. b. c.

Atanekerdluk selten; in Netluarsuk häufig, besonders die Nüsschen. Ifsorisok.

Die Fig. 22. bis 28. abgebildeten Samen und Zäpfchen gehören unzweifelhaft zu Biota, und da an derselben Stelle die Zweige eines Lebensbaumes vorkommen, sind diese mit den Samen und Zapfen zu vereinigen, was auch schon aus Fig. 26. hervorgeht, wo der Zapfenstiel mit solchen schuppenförmigen Blättern besetzt ist. Diese Zweige stimmen mit denen von Atanekerdluk überein, welche ich früher mit der Thujopsis europaea SAP. von Armissan zusammengestellt habe. Der in Armissan aufgefundene Zapfen dieser Art zeigt, dass sie zu Chamaecyparis gehört, und die massiliensis scheint ihr so nahe zu stehen, dass sie wohl nicht einer andern Gattung angehören dürfte. Der Grönlander Lebensbaum aber ist eine wahre Biota und kann daher nicht zu Ch. europaea gebracht werden, und eine Zusammenstellung mit massiliensis wäre sehr unsicher, da diese bis jetzt nur in einem kleinen Zweigrest gefunden wurde. Die Zweige der lebenden Thujen und Bioten sind sich ungemein ähnlich, und dasselbe scheint auch bei den fossilen Arten der Fall zu sein. So sind die Zweige der Biota borealis auch ungemein ähnlich denen der Thuja Saviana GAUDIN (Flore fossile italienne III. p. 2. Taf. I. 4—20. II. 6. 7.), wogegen die Zapfen sehr verschieden sind. Von Netluarsuk sind mir nur kleine Zweigstücke zugekommen. Aus Fig. 15. sehen wir, dass die Zweige alternierend sind und aus einer Blattachsel entspringen. Sie sind flach und dicht mit 4 Zeilen schuppenförmig angedrückter Blätter besetzt. Die zwei gegenständigen seitlichen Blätter sind sichelförmig gekrümmt und vorn zugespitzt, an das mittlere Blatt angedrückt und ungefähr zur selben Höhe sich erhebend, am Grunde schliessen sie zusammen. Die mittlern Blätter sind vorn gerundet, aber mit einer sehr kurzen Spitze versehen, welche nur als ein dunklerer Punkt erscheint. Ueber den Rücken läuft eine Kante, im Abdruck eine seichte Rinne.

Bei etwas ältern Zweigen sind die Blätter aus einander gerückt (Fig. 21.) und die Achse ist unbedeckt.

Bei Fig. 17. (dreimal vergrössert 18.) haben wir ein Zweigstück mit etwas längern seitlichen und mittlern Blättern, die aber im Uebrigen dieselbe Form haben.

Von Ifsorisok haben wir nur die zwei Fig. 20. abgebildeten Blattpaare.

Das vollständigste Zäpfchen ist von Atanekerdluk (Fig. 26. vergrössert 26. b.). Es sind vier in einen Kreis gestellte Zapfenschuppen, von denen indessen nur die mittlere gut erhalten ist. Sie hat eine Länge von 11½ Mill., und eine grösste Breite von 4½ Mill. Diese liegt oberhalb der Mitte. Die Spitze stellt wohl den nach vorn gerichteten Haken dar. Am Zapfenstiel haben wir die gegenständigen angedrückten Blätter. Fig. 27. ist ein ähnlicher, noch geschlossener Zapfen, der im Stein drin steckt. Die Zapfenschuppe hat dieselbe Länge, aber eine grösste Breite von 6½ Mill. Ueber den Rücken läuft eine Furche, wohl weil diese Partie weggerissen ist. Fig. 28. stellt wahrscheinlich den Durchschnitt eines Zäpfchens dar. Bei Fig. 13 (von Netluarsuk) haben wir neben den Zweigen des Taxodium distichum und der Biota einen Zapfenrest, der noch die Samen enthält (vergrössert Fig. 14.). Sie liegen in der Achsel der zerbrochenen Zapfenschuppen und zeigen uns sehr deutlich die scharfe Kante, welche die Nüsschen von Biota auszeichnet. Einzelne im Gestein lose herumliegende Samen sind in Netluarsuk häufig, mir aber auch von Atanekerdluk (Fig. 25.) zugekommen. Ihre Grösse ist variabel (cf. Fig. 22. bis 25.). Durchschnittlich haben sie 6 Mill. Länge und 4 Mill. Breite; sie sind eiförmig, glatt mit scharf vortretender Längskante. Sie haben eine ziemlich dicke Schale (Fig. 23. vergrössert 23. b.) und stellen daher kleine Nüsschen dar.

Diese Samen haben fast genau die Grösse und Form der Samen der Biota orientalis L. sp. Auch die Zapfen müssen eine ähnliche Form gehabt haben, nur waren die Schuppen etwas schmäler und länger und der Hacken nach vorn gerichtet. Die Zweige aber waren bedeutend breiter als bei der lebenden Art, die Blätter grösser und auf dem Rücken nicht mit einer Furche, sondern einer Kante versehen und vorn mit einem kleinen Wärzchen, nähern sich daher in dieser Beziehung mehr der Thuja occidentalis L. sp.

4. *Taxodium distichum miocenum.* Taf. I. Fig. 13. d. 15. b.

HEER miocene Flora von Spitzbergen S. 32.

In Netluarsuk liegen die Zweige in allen Richtungen durch einander; die meisten haben die Grösse von Fig. 15. Die Blätter sind vorn meist verschmälert, doch zuweilen ziemlich stumpf (Fig. 13. d.), wie bei den Blättern von Alaska (Flora Alaskana Taf. I. Fig. 6.). Auch die schmalblättrige Form (T. distichum angustifolium) Spitzbergens kommt vor. Bei einzelnen Blättern sind neben dem Mittelnerv, der zuweilen auffallend stark ist, noch äusserst zarte Längsstreifen zu sehen.

Fruchtzapfen sah ich keine von Netluarsuk, wohl aber liegt auf einer Steinplatte neben den Zweigen der Same dieser Art.

5. *Sequoia Langsdorfii* BRGN. sp. Taf. II. Fig. 6.

Der Fig. 6. abgebildete aufgesprungene Zapfen zeigt, dass dieser Baum dem Wald von Netluarsuk nicht gefehlt hat, doch ist diess der einzige mir von dieser Art zugekommene Rest.

6. *Sequoia Nordenskiöldi* HR. Taf. I. Fig. 30.

HEER miocene Flora Spitzbergens S. 36. Taf. II. 13. IV. 4—38. Auf der Fig. 30. dargestellten Steinplatte liegen zahlreiche Zweige beisammen. Sie stimmen sehr wohl überein mit den Zweigen von Spitzbergen. Die Blätter sind schmal, fast parallelseitig, am Grund nicht verschmälert, am Zweig herablaufend, vorn bald stumpflich, bald aber mehr oder weniger zugespitzt. Diese sehen den Zweigen des Glyptostrobus Ungeri mit abstehenden Blättern sehr ähnlich, doch fehlen in Netluarsuk die Zweige mit angedrückten Blättern gänzlich, daher der Glyptostrobus an dieser Lokalität nicht vorzukommen scheint.

7. *Sequoia Sternbergi* GOEPP. spec. Taf. II. Fig. 1—4. vergrössert 1. b. 3. b.

HEER Flora foss. arct. I. p. 140.

Scheint in Netluarsuk nicht selten zu sein, doch blieben nur kurze Zweigstücke erhalten. Alle gehören zu der Form mit kürzern Blättern. Diese stehen sehr dicht beisammen, den Zweig ganz bedeckend und ziegeldachig über einander liegend. Sie sind sehr steif, dick lederartig, am Grund am Zweig herablaufend, vorn zugespitzt, meistens etwas gekrümmt. Der Durchschnitt der Blätter war im Leben wahrscheinlich dreieckig und die flache Seite war dem Zweig zugekehrt, wie bei der S. gigantea LINDL. sp. (Wellingtonia).

Fig. 9. sind wahrscheinlich Blattnarben eines alten Zweiges und dürften zur vorliegenden Art gehören. Sie haben in der Mitte eine ovale Vertiefung mit zwei Punkten, wo wahrscheinlich die Gefässbündel durchgingen. (Fig. 9. b. vergrössert).

8. *Pinus Macclurii* HR. Taf. II. Fig. 10. 11.

HEER Flora foss. arct. I. p. 134. Taf. XX. 16—18.

Von dieser bislang nur aus den Holzhügeln des Bankslandes bekannten Art sind mir von Netluarsuk zwei Zapfenreste zugekommen. Fig. 11. giebt die Basis des Zapfens, der nicht zusammengedrückt ist. Er hat eine Breite von 18 Mill., die Zapfenschuppen liegen dicht über einander, sind aber sämmtlich vorn mehr oder weniger zerbrochen. Fig. 10. stellt den Durchschnitt eines Zapfens dar. Er hatte eine Breite von 20 Mill. und ist nach oben kegelförmig verschmälert. Die dicht ziegelförmig über einander liegenden Schuppen sind auswärts verdünnt. In ihrer Achsel liegen die Samen. Sie sind oval und die grössten haben eine Länge von $5^1/_2$ Mill., die kleinsten 4 Mill. Es sind diese Samen daher bedeutend grösser als bei P. alba L. — Die centrale Spindel ist auffallend stark.

Nadeln, welche mit diesen Zapfen combinirt werden könnten, habe in Netluarsuk nicht gefunden.

9. *Phragmites multinervis* m. Taf. III. Fig. 1. 2.

Phr. foliis multinervosis, nervis interstitialibus 16—20.

Von Netluarsuk liegt nur das kleine Fig. 1. abgebildete Blattstück vor, während von Ifsorisok das in seiner ganzen Breite erhaltene Blatt Fig. 2. (ein Stück vergrössert 2. b.). Es ist dieses Blatt zunächst von neun gleich starken Längsnerven durchzogen, die um 2 Mill. von einander abstehen. Es ist kein Mittelnerv vorhanden. Die Zwischenräume zwischen je zwei stärkern Längsnerven sind von 16 bis 20 sehr feinen Längsnerven durchzogen, wogegen die Queradern fehlen. Diese viel grössere Zahl von Zwischennerven unterscheidet diese Art von Phr. oeningensis, bei welcher auch an den Grönländer-Blättern nur 5 solcher Zwischennerven zu zählen sind (cf. Flora foss. arct. I. 96.).

10. *Populus Richardsoni* HR? Flora arctica I. S. 98.

Nur ein Blattfetzen, der Rand ist fast ganz zerstört, doch sind ein paar Zähne erhalten, welche auf Pop. Richardsoni weisen.

11. *Populus arctica* Hr.
Ein Blattfetzen.

12. *Carpinus grandis* Ung.
Ein kleineres Blatt, mit ziemlich dicht stehenden parallelen, einfachen Secundarnerven und einem doppelt gezahnten Rand, welcher freilich nur an einer Stelle erhalten ist.

13. *Corylus Mac Quarrii* Forb. sp.
Mehrere Blätter von verschiedener Grösse. Eines ist fast so gross wie das in der Flora arct. I. Taf. IX. 3. abgebildete. Die Basis desselben ist wohl erhalten und stimmt auch in der Bezahnung ganz zu C. M'Quarrii. Andere Blätter sind von mittlerer Grösse, und wenn auch der Rand meistens zerstört ist, so sind doch wenigstens einzelne scharf geschnittene Zähne erhalten.

14. *Fagus Deucalionis* Ung.? Taf. III. Fig. 11.
Fig. 11. stellt den Fruchtbecher einer Buche dar. Es sind zwar in Netluarsuk keine Buchenblätter gefunden worden, wohl aber in Ober-Atanekerdluk, wo Fagus Deucalionis nicht selten ist. Es gehört daher der Fruchtbecher sehr warscheinlich zu dieser Art. Er sitzt an einem ziemlich dicken Stiel, ist eiförmig, 24 Mill. lang bei 18 Mill. Breite; die geraden Stacheln sind angedrückt und bilden an dem Fruchtbecher unregelmässige, abgekürzte Rippen.

15. *Platanus Guillelmae* Goepp.?
Nur Blattfetzen. Von einem sehr grossen Blatt ist die mittlere Partie und ein kleines Randstück mit zwei Zähnen erhalten. Von einem kleinern Blatt haben wir Stiel und Basis, und es stimmt, so weit es erhalten ist, zu Pl., Guillelmae.

16. *Elaeagnus arcticus* m. Taf. III. Fig. 5. 6.
E. fructibus oblongis, 16 Mill. longis, evidenter 6 — costatis.
Es ist nur der Abguss der Frucht in dem harten Stein erhalten, die Substanz des Samens und der Frucht ist in Form eines schwarzen Pulvers beim Zerspalten des Steines herausgefallen. Die Form und Rippenbildung stimmt am meisten mit dem Samen von Elaeagnus überein. Bei Elaeagnus angustifolia haben wir 7 flache Rippen, welche aussen an demselben herunterlaufen. Bei der fossilen Art waren 6 vorhanden, welche im Abdruck 6 tiefe Furchen bilden. Es müssen daher die Rippen viel stärker hervorgestanden haben als bei Elaeagnus. Der Same hatte eine Länge von 16 Mill. und eine Breite von $7^1/_2$ Mill. Seine grösste Breite fällt auf die Mitte, die beiden Enden sind stumpf zugerundet. Bei jedem bemerken wir ein kleines Wärzchen, dem wohl am frischen Samen eine kleine Vertiefung entsprach.
Da in Spitzbergen eine Elaeagnus-artige Blüte gefunden wurde (Elaeagnites campanulatus Hr), ist sie vielleicht mit vorliegender Art zu vereinigen.

17. *Hedera Maclurii* Hr.?

Nur die Basis eines Blattes mit mehreren gleich starken Hauptnerven; da aber der Rand ganz fehlt, ist die Bestimmung unsicher.

18. *Nyssidium grönlandicum* m. Taf. II. Fig. 18. vergrössert 19.

N. fructibus ovatis, putamine $7^1/_2$ Mill. longo, costulis longitudinalibus numerosissimis.

Liegt bei Zweigen von Taxodium distichum.

Ist sehr ähnlich dem N. Ekmanni Hr Flora arct. II. Spitzbergen p. 62, aber etwas kleiner und namentlich durch die viel zahlreichern Streifen und den Mangel der Wärzchen unterschieden.

Ist eiförmig, am Grund stumpf zugerundet, von etwa 20 Längsstreifen durchzogen, die sehr dicht beisammen stehen und daher sehr schmale Interstitien bilden, welche nicht mit Wärzchen besetzt sind.

19. *Paliurus borealis* Hr?

Nur ein kleiner Blattfetzen, der aber die 3 Nerven erkennen lässt.

IV. IFSORISOK.

Der braune, brüchige, weiche Thon, der dem des Germania Berges auf der Sabine Insel sehr ähnlich sieht, enthält viele Pflanzenreste, welche aber grossentheils in kleine, unbestimmbare Fragmente aufgelöst sind. Es ist kein einziges grösseres Blatt erhalten, alle sind zerrissen und zerfetzt. Wahrscheinlich ist diese Ablagerung an einer Flussmündung entstanden und enthält die Reste der hergeschwemmten und zum Theil in Moder aufgelösten Pflanzen. Die häufigste erkennbare Pflanze ist die Sequoia Langsdorfii, welche wohl an dieser Stelle einen Wald gebildet haben mag.

Die erkennbaren Arten dieser Lokalität sind:

1. *Sclerotium Cinnamomi* Hr. Taf. I. Fig. 2. vergrössert 2. b.

Scl. perithecio orbiculato, duro, plano, margine elevato.

Heer lignite of Bovey Tracey. Philos. transact. p. 27. Taf. XVI. 17. Miocene baltische Flora p. 52. Taf. XII. 21—22.

Saporta annales des Sc. natur. VIII. 1867 p. 39.

Auf einem unbestimmbaren Blattfetzen sitzen mehrere Pilze, die mit denjenigen wohl übereinstimmen, die ich früher auf Cinnamomum und Andromeda Blättern beobachtet habe (cf. besonders baltische Flora Taf. XII. Fig. 21.). Sie bilden kreisrunde, 1 Mill. im Durchmesser haltende, zuweilen etwas ovale Flecken mit scharf abgesetztem Rand und flacher Scheibe.

2. *Sphenopteris Blomstrandi* Hr. Taf. I. Fig. 3—5.

Es kamen mir mehrere Stücke zu, doch sind sie stark zerfetzt. Bei Fig. 5. haben wir die gestreifte Spindel, an welcher mehrere gelappte Fiederchen befestigt sind. Be-

Fig. 3. und 4. ist die Nervation ziemlich gut erhalten. Die Seitennerven sind gablig gespalten und entspringen in spitzigen Winkeln.

3. *Taxites validus* Hr. Taf. I. Fig. 11.

T. foliis distichis, rigidis, sessilibus, lanceolatis, acuminatis, uninerviis, patentibus. Heer miocene baltische Flora S. 26. Taf. III. Fig. 12.

Mehrere Zweige; haben steife, sitzende, nicht am Zweig herablaufende Blätter, die nach vorn sich allmälig verschmälern und zuspitzen. Der ziemlich starke Mittelnerv reicht bis in diese Spitze hinaus. Die Blätter stehen fast in rechtem Winkel vom Zweige ab.

Von der Sequoia Langsdorfii durch die am Grund nicht verschmälerten und nicht herablaufenden und vorn mehr zugespitzten Blätter zu unterscheiden.

4. *Biota borealis* m. Taf. I. 20.

Nur ein kleines Zweigfragment mit etwas mehr abstehenden Blättern.

5. *Taxodium distichum miocenum.* Taf. I. Fig. 4. b.

Ist in Ifsorisok sehr selten und mir nur in ein paar kleinen Zweigen zugekommen.

6. *Sequoia Langsdorfii* Brgn sp.

Die Zweige sind häufig, und bei einzelnen die am Grund etwas verschmälerten und am Zweig decurrirenden Blätter sehr wohl erhalten.

7. *Sequoia brevifolia* Hr.

Heer Flora foss. arctica I. S. 93. Taf. II. Fig. 23.

Ein Zweig mit kurzen, breitlichen, am Grund deutlich decurrirenden Blättern.

8. *Pinus* spec. Taf. II. Fig. 13.

Zwei wohl zusammengehörende, aber nicht ganz erhaltene Nadeln. Sie haben eine Breite von 1 Mill., sind in der Mitte flach, und diese mittlere Partie ist von einer Linie eingefasst.

9. *Phragmites multinervis* m. S. 10. Taf. III. Fig. 2. vergrössert 2. b.

10. *Carex Noursoakensis* m. Taf. II. Fig. 14—17, vergrössert 14. b. und 16.

C. foliis linearibus, 4 Mill. latis, medio carinatis, utrinque nervis primariis quatuor, interstitialibus obsoletis.

Es ist ein 4 Mill. breites Blatt mit scharfer Mittelkante, jederseits sind 4 Längsnerven, die Zwischennerven sind verwischt, doch glaubte ich an einigen Stellen 2 bis 3 zu erkennen. Ist sehr ähnlich dem Cyperites strictus Hr Spitzbergen S. 50, aber das Blatt ist viel breiter.

Zu dieser Art gehören sehr wahrscheinlich die Taf. II. Fig. 17. abgebildeten Blätter von Atanekerdluk, bei denen aber die Seitennerven verwischt sind.

In Ifsorisok kommt eine Aehre vor, welche wahrscheinlich einem Carex angehört und unserer Art zugetheilt werden darf. Sie (Fig. 15) lässt mehrere in, freilich grossentheils zerstörten, Deckblättern sitzende Früchte erkennen. Diese sind eiförmig, 4 Mill. lang und 2 Mill. breit, äussert fein gestreift und ringsum mit einem Eindruck versehen, welcher die Grenze zwischen dem utriculus und der Frucht bezeichnet. Die Früchte bildeten ohne Zweifel eine dicht geschlossene weibliche Aehre.

11. *Populus Richardsoni* Hr?

Der Rand des Blattes ist nicht erhalten, scheint aber wegen der Grösse des Blattes eher zu P. Richardsoni als P. arctica zu gehören.

12. *Populus arctica* Hr.

Die Basis eines Blattes.

13. *Carpinus grandis* Ung. Taf. III. Fig. 14.

Ein Fetzen eines grossen Blattes stimmt mit dem in der Flora arctica I. S. 103 beschriebenen überein. Es hat stramme, parallele und genäherte Secundarnerven und einen doppelt gezahnten Rand.

Fig. 14. b. stellt die Blattspitze dar. Die einfachen, nahe beisammen stehenden Secundarnerven münden in die grössern Zähne aus.

14. *Corylus Mac Quarrii* Forb. sp.

Die Sammlung enthält mehrere Blattfetzen von Ifsorisok, deren Nervation und doppelt gezahnter Rand die Art nicht verkennen lässt.

15. *Corylus insignis* Hr. Taf. II. Fig. 22.

Heer Flora foss. arct. II. Greenland S. 469. Taf. XLIX. Fig. 5.

Das Blatt stimmt wohl überein mit dem früher von Atanekerdluk abgebildeten. Es ist am Grund verschmälert, hat eine scharfe doppelte Bezahnung und die untern Seitennerven senden Tertiärnerven aus, welche in diese Zähne auslaufen.

16. *Platanus* spec.

Nur Blattfetzen aus der Mitte des Blattes, daher die Art sich nicht bestimmen lässt.

17. *Pterospermites spectabilis* Hr? Taf. III. Fig. 17.

Ein Blattstück mit ganzem Rand, weit aus einander stehenden Secundarnerven; der untere sendet Tertiärnerven aus, welche in Bogen sich verbinden. Ist ähnlich dem in der Flora arctica II. S. 480. Taf. LIII. Fig. 4. abgebildeten Blatt, zur sichern Bestimmung aber zu unvollständig.

V. ASAKAK.

Die hellbraunen Blätter heben sich von dem hellgrauen Sandstein zwar gut ab, doch sind die meisten nur in undeutlichen Fragmenten erhalten. Ich fand nur 7 Arten in bestimmbarem Zustand.

1. *Taxites Olriki* HR. Taf. I. Fig. 10.

HEER Flora foss. arct. I. S.

Fig. 10. giebt einen Zweig mit dicht beisammen stehenden Blättern, die aber nicht in ihrer ganzen Länge erhalten sind. Sie sind am Grund verschmälert und nicht am Zweig herablaufend.

2. *Glyptostrobus Ungeri.* HR. Taf. I. Fig. 12.

Ein dünner Zweig mit abstehenden Blättern. Sie sind sehr schmal, vorn zugespitzt und am Grund am Zweig herablaufend.

3. *Smilax lingulata* HR. Taf. III. Fig. 7.

Sm. foliis ovato-lanceolatis, apice attenuatis, utrinque acuminatis, quinquenerviis.

HEER miocene baltische Flora. S. 63. Taf. XVI. Fig. 8—10.

Es fehlt zwar die Basis und Spitze des Blattes und auch die rechte Seite ist nicht ganz erhalten, daher nur 4 Längsnerven zu sehen sind, während sehr wahrscheinlich 5 vorhanden waren. Der erhaltene Theil des Blattes stimmt sehr wohl zu den Blättern von Rixhöft. Es ist ein dünnes ganzrandiges Blatt mit dünnen, aber scharf vortretenden Längsnerven, von denen sehr zarte seitliche Nerven ausgehen.

4. *Populus arctica* HR. Taf. III. Fig. 9.

Mehrere ziemlich wohl erhaltene Blätter. Auf Taf. III. Fig. 9. habe eines dargestellt, das fast kreisrund und ganzrandig ist und wenigstens die Hauptnerven zeigt, welche denselben Verlauf wie bei der P. arctica haben.

5. *Corylus Mac Quarrii* FORB. spec.

Zu dieser Art rechne die Taf. III. Fig. 10. abgebildete Frucht. Sie scheint eine ziemlich dicke, glatte Schale gehabt zu haben. Sie schliesst einen Kern ein, der von tiefen Längsstreifen durchzogen ist, welche bogenförmige Furchen bilden. Es hat die kurz eiförmige Frucht eine Breite von 11 Mill. und 13 Mill. Länge.

6. *Fagus Deucalionis* UNG.?

Nur ein Blattfetzen, dessen Bestimmung unsicher ist.

7. *Platanus Guillelmae* GOEP.

Ein ziemlich grosses Blatt, mit theilweise erhaltenem Rande.

VI. SINIFIK AUF DISCO.

Die Pflanzen sind in einem eisenhaltigen Thon, welcher dem von Ober-Atanekerdluk, von Iglosungoak und von Netluarsuk ähnlich sieht. Früher waren mir von dieser Stelle nur fossile Hölzer bekannt, von denen Prof. CRAMER eine Art als Cupressinoxylon Breverni MERKL. beschrieben hat. Vgl. Flora foss. arctica I. S. 167. Die Blätter sind zum Theil sehr schön erhalten, und sind mir 14 Arten zugekommen.

1. *Sclerotium populicola* HR. Taf. II. Fig. 20. b. vergrössert c.

HEER Flora tertiaria Helvet. I. p. 21. Taf. II. 10. Band. III. p. 149.

Auf Populus arctica, ganz stimmend zum Oeninger Pilz. Es sind ungemein kleine, kreisrunde, schwarze und scharf abgesetzte Punkte. Sie sitzen theils an den Nervillen, theils in der Mitte der Maschen des Netzwerkes. Es ist ein ganzes Blatt mit denselben bedeckt. Ihre regelmässige Form und gleiche Grösse zeigen, dass diese Punkte keine zufällige Bildung seien. Eine ähnliche Art kommt auf den Birkenblättern von Island vor.

2. *Equisetum boreale* HR.

Ein mehrmals gegliedertes, von ziemlich tiefen Falten durchzogenes Rhizom.

3. *Taxites Olriki* HR. var. Taf. I. Fig. 9.

Fig. 9. stellt eine eigenthümliche Varietät dar, mit auffallend kurzen und vorn stumpf zugerundeten Blättern. Die Blätter sind steif lederartig, $3^1/_2$ Mill. breit, aber nur 14 Mill. lang, am Grund zugerundet und nicht decurrirend, vorn ganz stumpf gerundet.

4. *Glyptostrobus Ungeri* HR.

Ein paar zarte Zweige mit abstehenden Blättern.

5. *Taxodium distichum miocenum.* Taf. II. Fig. 20. d. 21.

Der neben den Pappelblättern liegende Zweig (Taf. II. Fig. 20. d.) stellt die gewöhnliche Form dar, daneben aber kommen Zweige mit längern und vorn mehr zugespitzten Blättern vor, welche dem Taxod. Tinajorum sich nähern (cf. Taf. II. Fig. 21).

6. *Sequoia Langsdorfii* BRGN sp.

Einige wohl erhaltene Zweige.

7. *Pinus hyperborea* HR. Taf. II. Fig. 12.

Scheint in Sinifik häufig zu sein und tritt in sehr verschiedener Grösse auf. Eine Nadel hat 7 Mill. Breite, eine andere eine Länge von 68 Mill., bei einer Breite von 5 Mill., die meisten Nadeln haben indessen nur 3 bis 4 Mill. Breite. Eine ziegt unter der Lupe neben dem Mittelkiel äusserst zarte parallele Längsstreifen.

Die Stellung dieser Blätter bei Pinus ist zweifelhaft; sie gehören vielleicht eher zu Podocarpus oder Cephalotaxus.

8. *Cyperus Sinifikianus* m. Taf. III. Fig. 3.

C. foliis 13—24 Millim. latis, medio carinatis, utrinque nervis 20—40 subaequalibus.

Mehrere, stark verbogene Blattstücke, welche durch ihre Breite und die zahlreichen und dicht stehenden Längsnerven sich auszeichnen. Die schmalen Blätter ähneln denen der C. borealis, allein die Längsnerven sind zahlreicher und die Queradern fehlen.

Die schmalen Blätter haben nur eine Breite von 13 Mill., während die breiten 24 Mill. erreichen (Fig. 3.). Bei jenen kommen auf jede Blatthälfte etwa 20, bei diesen etwa 40 Längsnerven. Sie stehen dicht beisammen und ihre Stärke ist ziemlich gleich. Die Mittelkante tritt nicht stark hervor und seitliche Falten fehlen.

Wahrscheinlich gehört zu diesen Blättern das Taf. III. Fig. 4. abgebildete Cyperus-Aehrchen von Atanekerdluk.

9. *Populus Richardsoni* HR?

Ein kleiner Blattfetzen, aber mit wohlerhaltenen Zähnen.

10. *Populus arctica* HR.

Die schönen Taf. II. Fig. 20. abgebildeten Blätter zeigen uns nicht allein die Haupt- und Nebennerven in ihrer Verschlingung, sondern auch das feine Netzwerk in vorzüglich guter Erhaltung. Auch die lederartige Beschaffenheit des Blattes ist hier augenfällig.

11. *Carpinus grandis* UNG. Taf. III. Fig. 14.

Fig. 14. stellt die gewöhnliche Form dieses Blattes dar, dessen Zähne sehr wohl erhalten sind. Wo der Secundarnerv ausmündet ist ein grösserer Zahn, dazwischen aber ein kleiner.

12. *Corylus Mac Quarrii* FORB. sp.

Es sind zwar nur Blattfetzen erhalten, deren Geäder und Bezahnung aber sehr wohl zur vorliegenden Art stimmt.

13. *Hedera Macclurii* HR?

Nur ein nicht sicher bestimmbarer Blattfetzen.

14. *Ilex longifolia* HR.

Es ist nur ein unvollständiges Blattstück erhalten, das aber in der Nervation und Form wohl zu den Blättern stimmt, die ich in der Flora arctica abgebildet habe (cf. II. Taf. XLVIII. Fig. 3.). Der Rand ist ungezahnt, die Secundarnerven bilden starke Bogen und sind weit vom Rand entfernt; die Felder sind mit einem ziemlich weitmaschigen Netzwerk ausgefüllt.

VII. PUILASOK.

In dem weichen Gestein, das von keinen Basaltmassen überlagert wurde, sind die Pflanzen nicht so stark zusammengedrückt. Die Substanz der Blätter ist erhalten und sie bilden einen schwarzen, zuweilen glänzenden Ueberzug auf dem dunkelfarbigen Gestein. Wo das Gestein in grosse Platten gespalten werden kann, haben sich auch grosse Blätter erhalten. Die meisten freilich liegen nur in Bruchstücken vor und viele sind der Art zerstört, dass sie nicht mehr zu erkennen sind.

1. *Sphenopteris Blomstrandi* Hr.

Heer Flora foss. arctica I. S. 155.

Es sind nur kleine Blattfetzen erhalten, welche in dem am Grunde verschmälerten und am Rande gelappten Fiederchen, deren Secundarnerven steil aufsteigen und gablig getheilt sind, mit dem Farn aus der Kings Bai Spitzbergens übereinstimmen. Sie können um so mehr mit dieser Art vereinigt werden, da in Ifsorisok vollständiger erhaltene Exemplare derselben gefunden wurden.

2. *Pecopteris gracillima* m. Taf. IV. Fig. 4.

P. pinnulis angustissimis, 2 Mill. latis, linearibus, pinnatisectis, lobis minutis, subfalcatis, contiguis, acuminatis.

Ich habe zwar nur ein einzelnes Blättchen durch das Zerspalten des Gesteines erhalten, es ist aber so ausgezeichnet, das es nicht übergangen werden darf, obwohl seine Bestimmung noch zweifelhaft ist. Es erinnert in der Form und Stellung seiner scharf geschnittenen Blattlappen an Dryandra und Myrica, es sind aber diese so klein, dass sie doch nicht wohl von einer Blüthenpflanze herstammen können, und dann können nur die Farn in Betracht kommen, welche auch ähnliche Formen zeigen. Leider ist die Nervation, welche darüber entscheiden würde, verwischt.

Das Fiederchen hat bei 2 Mill. Breite eine Länge von 15 Mill., war aber wahrscheinlich noch länger. An der relativ ziemlich starken Mittelrippe sitzen die sehr kleinen, kurzen Blattlappen, die eng an einander anschliessen, aber bis auf den Grund frei sind. Sie sind stark nach vorn gebogen, haben eine fast gerade abgeschnittene obere (blattspitzwärts liegende) und eine sehr stark gebogene untere Randlinie. Sie sind scharf zugespitzt. Die Nerven sind ganz verwischt. Bei guter Beleuchtung glaubt man einen Mittelnerv zu sehen, doch ist die Sache nicht sicher.

3. *Aspidium Meyeri* Hr.

Heer Flora tert. Helvetiae I. S. 36. Taf. XI. 2. Flora fossil. arctica II. Flora of Northgreenland S. 461. Taf. XXXIX. Fig. 1—3.

Nur ein einzelnes Fiederstück, dessen bis zum Grund getrennte Lappen aber in Form und Grösse wohl zu A. Meyeri stimmen. Sie sind länglich und vorn stumpf zugerundet. Die Nervatur ist verwischt, doch ist wenigstens an einer Stelle die gablige Theilung der Seitennerven zu sehen.

4. *Salisburia adiantoides* Ung. (Ginkgo). Taf. III. Fig. 15.

Heer Flora foss. arct. I. S. 183. Taf. XXII. 14. II. 465. (Greenland).

Die Basis eines Blattes mit einem Theil des Stieles, von welchem 11 Längsnerven auslaufen.

5. *Taxodium distichum miocenum* var. Taf. IV. Fig. 5.

Es sind mir von Puilasok nur drei Zweiglein zugekommen, die sich durch die gedrängte Stellung der kleinen, schmalen Blätter auszeichnen und dadurch von der gewöhnlichen Form abweichen, ohne dass wir berechtigt sind darauf eine besondere Art zu gründen. Es haben die Blätter eine Länge von 6 Mill., bei einer Breite von 1 Mill., berühren sich an den Rändern und haben eine sehr zarte Mittelrippe.

6. *Pinus polaris* Hr? Taf. IV. Fig. 6.

Heer Flora foss. arct. I. S. 157. II. Spitzbergen S. 39. Greenland S. 465.

Die kleinen Nadelbruchstücke lassen keine sichere Bestimmung zu. Sie haben eine Breite von 1½ Mill., also wie bei P. polaris, und besitzen wie die Nadeln dieser Art einen starken Mittelnerv. Während aber bei der P. polaris jederseits neben demselben in der Regel 2 bis 3 feinere Längsnerven vorkommen, haben wir bei der Nadel von Puilasok nur einen, der dem Rand genähert ist. Ausnahmsweise finden wir indessen auch bei der P. polaris Spitzbergens jederseits nur Einen Längsstreifen (cf. Flora Spitzbergens Taf. V. Fig. 20.).

7. *Poacites Nielseni* m. Taf. IV. Fig. 1.

P. foliis lineari-lanceolatis, 16 Mill. latis, nervis longitudinalibus 24, aequalibus, nervillis transversis obliquis.

Ein langes, 16 Mill. breites Blatt, dessen Seiten parallel sind; vorn ist es allmälig verschmälert und zugespitzt. Es ist von etwa 24 gleich starken, parallelen Längsnerven durchzogen. Es hat weder vortretenden Mittelnerv noch auch Zwischennerven; dagegen treten stellenweise Queräderchen auf, die aber ganz schief nach oben verlaufen, so dass es aussieht, als wenn zwei Längsnerven in einem spitzen Winkel sich verbinden.

Weicht in der Form der breiten und vorn ziemlich schnell sich zuspitzenden Blätter sehr von unsern einheimischen Gräsern ab und erinnert an die Bambuseen, an Arundinaria und Bambusa, die solche breitern Blätter besitzen und auch ein ähnliches Geäder haben, daher unser Blatt wahrscheinlich in diese Gruppe rohrartiger Gräser gehört. Es hat das Blatt dieselbe Breite, wie bei Poacites Mengeanus Hr, ist aber durch den Mangel der Zwischennerven leicht zu unterschieden.

Wir haben es dem Andenken des Jens Nielsen gewidmet. Dieser Däne wohnte in Atanekerdluk und hat zuerst auf das dortige Lager fossiler Pflanzen aufmerksam gemacht. Er verunglückte auf der Jagd und liegt in Atanekerdluk begraben.

8. *Potamogeton Rinkii* m. Taf. IV. Fig. 2.

P. foliis oblongis, basin versus attenuatis, apice obtusis, nervis longitudinalibus paucis, interstitiis reticulatis.

Auf demselben Stein mit Salix longa A. Br.

Ein 30 Mill. langes und 10 Mill. breites Blatt, das gegen den Grund verschmälert und vorn ziemlich stumpf zugerundet ist. Die Nerven sind grossentheils verwischt, doch sieht man, dass etwa 4 Längsnerven in Bogenlinien von der Basis bis zur Spitze des Blattes verlaufen. Die Zwischenräume sind von Queraederchen durchzogen, von denen die am Rande schief nach vorn gerichtet sind. Diese Nervatur spricht für ein Potamogeton Blatt, für welche Deutung auch eine freilich stark zerdrückte Aehre spricht, die auf derselben Steinplatte (auf der Rückseite) liegt. Es sind mehrere runde Körperchen, deren Bau freilich nicht zu bestimmen ist, in eine dichte Aehre zusammengedrängt und stellen wahrscheinlich die Früchte unserer Pflanze dar.

9. *Potamogeton? dubius* m. Taf. IV. Fig. 3. vergrössert Fig. 3. b.

P. foliis parvulis, ovalibus, apice obtusis, dense nervosis.

Es sind drei Blätter so zusammengestellt, dass sie wahrscheinlich an Einem Stengel befestigt waren, doch fehlt die Blattbasis und dieser Stengel. Die ovalen Blättchen sind vorn stumpf zugerundet und ganzrandig. Ihre Nervation ist sehr zart und nur mit der Lupe wahrzunehmen. Es sind etwa 14 Längsnerven zu zählen, zwischen welchen noch feinere Längsnerven sind, deren Zahl aber nicht zu bestimmen. Queraederchen scheinen zu fehlen.

Die systematische Stellung dieser Blättchen ist noch zweifelhaft. Sie gehören jedenfalls zu den Monocotyledonen, wogegen die Familie und Gattung noch näher festzustellen sind, was erst nach Auffinden vollständiger erhaltener Blätter möglich sein wird.

10. *Populus mutabilis* Hr. Taf. IV. Fig. 12.

P. foliis longe petiolatis, aliis ovalibus, ovato-ellipticis, ellipticis et lanceolatis, integerrimis vel repando et sparsim crenatis; aliis suborbicularibus, oblongis vel lanceolatis, grosse dentatis vel serratis.

Heer Flora tert. Helvet. II. S. 19. Taf. LX. LXI. LXII. und LXIII.

Von den sehr polymorphen Blättern dieser Art ist in Puilasok erst die Form gefunden worden, welche ich als P. mutabilis ovalis beschrieben habe. Es ist diess in Oeningen die häufigste Form und Fig. 12. stimmt mit den in meiner Tertiärflora auf Taf. LXI. abgebildeten Blättern von Oeningen sehr wohl überein. Das Blatt ist oval elliptisch, vorn in eine schmale Spitze auslaufend und ganzrandig. Die bogenförmigen Seitennerven sind zart, zwei fast gegenständige nahe dem Blattgrund entspringend.

11. *Populus arctica* Hr.

Heer Flora foss. arctica I. S. 100. 137. 158.

Von dieser in der Polarzone weit verbreiteten Art sind in Puilasok nur einzelne Blattfetzen gefunden worden.

12. *Salix longa* Al. Br. Taf. IV. Fig. 7—10.

S. foliis longissimis, elongato-lanceolatis, integerrimis, nervo medio valido, petiolo crasso.

Heer Flora tert. Helvet. II. S. 31. Taf. LIX. 12—14.

Es ist diess eines der häufigsten Blätter in Puilasok, doch sind nur wenige ganz erhalten wie die in Fig. 7. und Fig. 8. dargestellten. Es sind diese etwa 7 mal so lang als breit, gegen die Basis und nach vorn allmählig verschmälert und in eine lange

schmale Spitze auslaufend. Der starke Blattstiel setzt sich in den dicken Mittelnerv fort. Die Secundarnerven sind grossentheils verwischt; nur an wenigen Stellen treten sie in stark gebogenen Linien hervor. Der Rand ist ungezahnt. Fig. 9. stellt ein etwas schmäleres und mehr parallelseitiges Blatt dar.

Eine etwas abweichende Form hat Fig. 10. Das Blatt ist breiter als bei den vorigen und die Secundarnerven sind stärker nach vorn gebogen; es ist aber in ähnlicher Weise am Grund verschmälert und vorn in eine schmale Spitze auslaufend.

S. longa ist der S. viminalis L. zunächst verwandt.

13. *Salix tenera* A. Braun. Taf. IV. Fig. 11. a.

S. foliis lanceolatis, latitudine 4—7 partibus longioribus, integerrimis, teneris, basi apiceque attenuatis.

Heer Flora tert. Helvet. II. S. 32. Taf. LXVIII. Fig. 7—13.

Ein ganzrandiges, lanzettliches, vorn zugespitztes und gegen den Grund allmälig verschmälertes Blatt. Fig. 11. a. ist etwas gebogen, ein paar andere Blätter dagegen sind gerade. Der Mittelnerv ist ziemlich stark, die bogenförmigen Secundarnerven dagegen grossentheils verwischt.

14. *Myrica lingulata* m. Taf. IV. Fig. 13.

M. foliis coriaceis, integerrimis, elongato-oblongis, in petiolum valde attenuatis, apice obtuse rotundatis, nervo medio valido, secundariis obsoletis.

Es ist ein dick lederartiges ganzrandiges Blatt, das über der Mitte am breitesten und gegen den Grund ganz allmälig verschmälert ist. Vorn ist es ganz stumpf zugerundet. Der Mittelnerv ist stark, wogegen von den Seitennerven nur einige Spuren erhalten sind. Sie müssen jedenfalls sehr zart gewesen sein.

Stimmt in der lederartigen Struktur und auch Form des Blattes am meisten mit Myrica salicina Ung. und M. integrifolia Ung. überein, unterscheidet sich aber durch das stumpf zugerundete Vorderende.

15. *Myrica grosse serrata* m. Taf. IV. Fig. 14.

M. foliis membranaceis, lanceolatis, basi integerrimis, apice grosse serratis.

Es ist ein dünnhäutiges Blatt, das nur vorn mit wenigen, aber tiefen und stark nach vorn gerichteten Zähnen versehen ist, während die untere Hälfte des Blattes ganzrandig ist. Die Basis fehlt. Der Mittelnerv ist zart und von den Secundarnerven sind nur Spuren erhalten. Sie entspringen in sehr spitzem Winkel und sind stark nach vorn gerichtet.

Das häutige Blatt und die grossen, nach vorn gerichteten Zähne erinnern an M. Schlechtendali Hr von Bornstedt, bei welchem aber der ganze Blattrand gezahnt ist.

Auf demselben Stein erblicken wir eine kleine Frucht. Sie ist kugelrund und runzelig und hat $4^1/_2$ Mill. Durchmesser. Sie gehört wahrscheinlich zur vorliegenden Art.

16. *Platanus aceroides* Goepp.

Ein grosses Blatt, dessen Rand aber grossentheils zerstört ist.

17. *Daphne persooniaeformis* O. Web. Taf. IV. Fig. 11. b.

D. foliis membranaceis, obovatis, basi attenuatis, integerrimis, nervis secundariis sparsis, subangulo acuto egredientibus, adscendentibus, areis aequaliter reticulatis.

O. Weber Palaeontographica IV. S. 144. Taf. XXVI. Fig. 4.

O. Heer miocene baltische Flora S. 78. Taf. XXIV. 6. 7.

Das Blatt stimmt sehr wohl zu den Blättern von Rixhöft. Es ist ganzrandig, gegen den Grund allmälig verschmälert, die Spitze fehlt. Die Secundarnerven entspringen in sehr spitzigem Winkel und sind stark nach vorn gerichtet. Das feinere Geäder ist verwischt.

18. *Aristolochia borealis* m. Taf. V. Fig. 4.

A. foliis longe petiolatis, reniformibus (?), integerrimis, nervis basalibus numerosis.

Es ist nur die Basis des Blattes erhalten. Es hat einen langen Stiel, ist am Grund tief herzförmig ausgerandet und war wahrscheinlich nierenförmig. Es ist ganzrandig. Vom Blattgrund laufen etwa 7, fast gleich starke Nerven aus. Der erste sendet mehrere Secundarnerven in ziemlich spitzigem Winkel aus. Die Felder scheinen mit einem grossmaschigen Netzwerk ausgefüllt gewesen zu sein, doch ist dasselbe grossentheiles verwischt.

19. *Andromeda narbonensis* Sap. Taf. IV. Fig. 17—19. V. 1—3.

A. foliis longe petiolatis, coriaceis, lanceolatis vel lanceolato-integerrimis, utrinque attenuatis, nervis secundariis tenuissimis, mox in areolas subtilissimas dissolutis.

Saporta, Etudes sur la végétat. Ann. des sciences natur. 1866. S. 286. Taf. VIII. Fig. 1.

Heer miocene baltische Flora S. 82. Taf. XXVI. 1—4. XXVIII. 9. a.

Ist mit Salix longa das häufigste Blatt in Puilasok. Die Andromeda narbonensis und A. protogaea stimmen in der Form der Blätter überein und sind nur an der Nervation zu unterscheiden. Wo diese verwischt ist, bleiben wir im Zweifel, welcher Art das Blatt zuzutheilen sei. Es ist dieselbe nur bei wenigen Blättern von Puilasok erhalten und bei diesen stimmt sie zu A. narbonensis, wir haben daher auch die Blätter mit verwischter Nervation zu dieser Art gerechnet, doch mag auch A. protogaea darunter sein.

Die Taf. IV. Fig. 19. abgebildeten Blätter haben dieselbe Grösse und Form wie die vom Graf Saporta von Armissan abgebildeten. Sie sind steif lederartig, ganzrandig, gegen den Blattstiel allmälig verschmälert. Es liegen mehrere Blätter in verschiedener Richtung über einander.

Bei Fig. 17. ist das Geäder am besten erhalten (ein Stück vergrössert 17. b.). Von dem starken Mittelnerv gehen äusserst zarte Secundarnerven aus, die sich näher dem Rande in dem Netzwerk verlieren. Dieses Netzwerk besteht aus relativ ziemlich grossen, polyedrischen Zellen, welche aber keine feinern Zellen einschliessen. Bei der A. protogaea treten die Secundarnerven bis zum Rande aus dem Geäder hervor und die Unterfelder sind mit einem äusserst zarten Netzwerk ausgefüllt. — Das Blatt ist lanzettlich linienförmig und sehr allmälig gegen den Grund verschmälert. Dasselbe ist der

Fall bei Taf. V. Fig. 1. und 2., von denen Fig. 1. den langen Stiel erhalten hat; ebenso Fig. 3.

Taf. IV. Fig. 18. ist die Spitze eines grossen Blattes; da aber die Nervation ganz verwischt, kann sie auch zu A. protogaea gehören.

20. *Diospyros Loveni* Hr. Taf. IV. Fig. 16.

Heer Flora foss. arctica I. S. 118. Taf. VII. 7. 8. XLVII. 8.

Es fehlt zwar dem unvollständig erhaltenen, ganzrandigen Blatte das feinere Geäder, doch stimmt es in seinen weit aus einander stehenden, in starken Bogen verbundenen Secundarnerven und in den grossmaschigen Unterfeldern sehr wohl mit den Blättern von Ober-Atanekerdluk, besonders mit dem auf Taf. XLVII. der Flora arctica abgebildeten, überein.

21. *Acerates veterana* Hr. Taf. V. Fig. 5.

A. foliis linearibus, basi et apice valde attenuatis, membranaceis, nervis secundariis remotis, simplicibus.

Heer Flora tert. Helvet. III. S. 20. Taf. CIV. 5—8. Miocene baltische Flora S. 88. Taf. XXIV. 17—20. XXVI. 23. b.

Zwei, fast vollständig erhaltene Blätter liegen neben einander. Sie sind sehr schmal linienförmig und vorn zugespitzt. Der charakteristische Randnerv ist stellenweise erhalten. In denselben münden die vom Mittelnerv ausgehenden, etwas schief aufstiegenden Seitennerven.

Stimmt sehr gut zu den Blättern von Rixhöft und von Oeningen.

22. *Cornus hyperborea* Hr? Taf. III. Fig. 16.

Heer Flora foss. arctica II. 476. Taf. L. 3. 4. Miocene Flora von Spitzbergen S. 61.

Es sind nur ein paar Blattfetzen erhalten, welche keine sichere Bestimmung zulassen. Die stark gebogenen Secundarnerven weisen auf Cornus.

23. *Apeibopsis Nordenskiöldi* m. Taf. III. Fig. 18. Taf. V. Fig. 6.

A. foliis amplis, coriaceis, integerrimis, cordatis, apice emarginatis, nervo medio crasso, stricto, nervis secundariis subtilibus, 2—3 basilaribus.

Es ist ein grosses ausgezeichnetes, lederartiges Blatt, dessen systematische Stellung aber noch zweifelhaft ist. Es ist am ähnlichsten der A. Deloesi Hr Flora tert. Helvet. S. 41. Es ist auch ganzrandig, hat einen starken Mittelnerv und mehrere Secundarnerven, die nahe dem Blattgrund entspringen und in starken Bogenlinien verlaufen. Ferner ist das Blatt ebenfalls am Grund etwas ungleichseitig, indem auf einer Seite ein Nerv mehr ist als auf der andern. Aehnliche Nervaturen haben auch Pterospermites und Grewiopsis Sap., bei denen aber der Blattrand in der Regel gezahnt und der Blattgrund gleichseitig ist. Aehnliche Nervation kommt auch bei der Gattung Ficus vor.

Das Blatt hat eine Länge von 105 Mill. und eine grösste Breite von 88 Mill., war lederartig und ganzrandig. Am Grund ist es tief herzförmig ausgerandet. Es ist unterhalb der Mitte am breitesten, nach vorn allmälig verschmälert und an der Spitze ziemlich tief ausgerandet. Der Mittelnerv ist sehr stark, ganz gerade und stramm verlaufend und noch am Ende in der Ausrandung des Blattes eine ziemliche Stärke beibehaltend. Die Secundarnerven dagegen sind sehr zart und nur theilweise erhalten. Auf der linken Seite gehen je 3, auf der rechten je 2 fast vom Blattgrunde aus, und das Blatt wird dadurch etwas ungleichseitig. Der vierte Nerv der rechten Seite von unten ist sehr stark gebogen und ist weit vom fünften entfernt. Es entsteht dadurch ein weites Feld, in welches ein paar zartere Nerven auslaufen. Auch der fünfte Nerv ist in ähnlicher Weise nach vorn gekrümmt. Wir erhalten dadurch wenige, weit aus einander stehende, ziemlich weit vom Rande entfernte, grosse Bögen bildende, zarte Secundarnerven und grosse Felder.

Von einem zweiten grossen Blattstück ist nur ein Fetzen erhalten, der aber dieselbe Nervation zeigt. Zwischen den grossen Bogen der Secundarnerven und dem Rande sind kleinere geschlossene Felder.

Es gehört diese Pflanze mit der Apeibopsis Deloesi wahrscheinlich in die Familie der Tiliaceen und bildet in derselben eine eigenthümliche Gattung; ob diese aber mit den Früchten combinirt werden darf, welche ich als Apeibopsis-Früchte beschrieben habe, ist noch zweifelhaft.

24. *Acer angustilobum* Hr. Taf. V. Fig. 7.

A. foliis longe petiolatis, trilobis vel subquinquelobis, lobis elongatis, anguste lanceolatis, acutis, inciso-dentatis, lateralibus patentibus, fructibus alis divergentibus, medio dilatatis.

Heer Flora tert. Helv. III. S. 57. Taf. CXVII. 25. a. CXVIII. 1—9.

Engelhardt Flora der Braunkohlenformat. Sachsens p. 27. Taf. VII. Fig. 6.

Es wurden mehrere Blätter gesammelt, die aber alle theilweise zerfetzt sind. Fig. 7. lässt uns die schmalen, vorn gezahnten Seitenlappen erkennen.

25. *Celastrus firmus* m. Taf. V. Fig. 9.

C. foliis coriaceis, oblongis, basi attenuatis, apice rotundatis, integerrimis, nervo medio valido.

Celastrus protogaeus Heer Flora tert. Helvet. III. S. 68. Taf. CLIV. 30. miocene baltische Flora S. 95. Taf. XXX. Fig. 14.

Das Blatt von Puilasok stimmt sehr wohl überein mit den Blättern von Rixhöft, namentlich mit Fig. 15., aber auch mit dem Blatt von Ralligen, wogegen die Blätter von Haering, welche Ettingshausen als C. protogaeus beschrieben hat (tert. Flora von Haering S. 70), durchgehend viel kleiner sind und eine dünnere Mittelrippe haben, so dass die Blätter von Ralligen, Rixhöft und Puilasok doch wohl davon zu sondern sind.

Das Blatt hat eine Länge von 31 Mill. und eine Breite von $6^1/_2$ Mill., ist steif lederartig, ganzrandig, mit ziemlich starkem Mittelnerv, wogegen an dem sehr wohl erhaltenen, glänzend schwarzen Blatte auch mit der Lupe keine Seitennerven zu sehen sind. Gegen den Grund ist das Blatt sehr allmälig verschmälert, das Vorderende (nur im Abdruck erhalten) ziemlich stumpf zugerundet.

26. *Crataegus antiqua* Hr. Taf. V. Fig. 8.

Heer Flora foss. arct. I. S. 125. Taf. L. Fig. 1. 2.

Es fehlt zwar dem Fig. 8. dargestellten Blatte der Rand, doch weist die Nervation auf obige Art. Es sind am Blattgrund zwei gegenständige starke Seitennerven, die in sehr spitzen Winkeln entspringen und starke Tertiärnerven gegen den Rand aussenden, die ebenfalls in sehr spitzen Winkeln auslaufen. Auch die weiter oben folgenden Secundarnerven sind zunächst gegenständig und spitzwinkelig.

Die Blätter sind sehr ähnlich denen der C. tomentosa L. aus Nordamerika und C. pyrifolia Ait.

27. *Leguminosites longipes* m. Taf. V. Fig. 10. 11.

L. foliolis longe petiolatis, valde inaequalibus, curvatis, ovalibus, integerrimis, nervis secundariis subtilibus, camptodromis.

Das Fig. 10. dargestellte Blatt hat einen 14 Mill. langen, ziemlich dünnen Stiel, gegen welchen die ziemlich breite Blattfläche verschmälert ist. Diese ist sehr ungleichseitig und der Mittelnerv ist stark gebogen, alles Merkmale, die auf ein Fiederblatt eines zusammengesetzten Blattes weisen. Die Secundarnerven sind sehr zart, starke Bogen bildend und seitlich veraestelt.

Es zeichnet sich diess Blatt durch den langen Stiel und die sehr ungleiche Grösse der beiden Blatthälften sehr aus; ob es freilich zu den Leguminosen, oder nicht eher zu den Terebintinen gehöre, ist noch zweifelhaft. Aehnliche Blätter stellen Leguminosites crassipes Hr von Rixhöft und Phyllites tenellus Hr von Island dar.

INSEKTEN.

Cistelites punctulatus Hr. Taf. V. Fig. 12. Zweimal vergrössert.

Heer contributions to the Foss. Fl. of Greenland. Flora arct. II. p. 484. Taf. LVI. Fig. 14.

Eine wohl erhaltene Flügeldecke, die 10 Mill. lang und $3^1/_2$ Mill. breit ist. Sie ist parallelseitig, flach gewölbt und äusserst fein und dickt punktirt. Hinten ist sie zugerundet, aber an der Ecke bedeckt, daher nicht sicher zu ermitteln ob diese zugespitzt ist. Stimmt in Form, Grösse und Punktatur wohl mit den Flügeldecken von Atanekerdluk überein.

Cistelites minor m. Taf. V. Fig. 13. Zweimal vergrössert.

C. elytris 6 Mill. longis, confertissime punctulatis.

Eine 6 Mill. lange und $2^1/_2$ Mill. breite Flügeldecke, deren Bestimmung nicht ganz gesichert ist. Sie ist ziemlich stark gewölbt und von äusserst feinen Punkten chagrinirt. Da sie im allgemeinen Umriss und Punktatur mit der vorigen übereinstimmt, bringe sie zur selben Gattung. Sie ist aber viel kleiner.

UEBERSICHT.

Diese von NORDENSKIÖLD an den besprochenen Fundstätten gesammelten Pflanzen haben der miocenen Flora Grönlands 34 neue Arten zugefügt, so dass die Zahl der uns bis jetzt bekannten miocenen Grönländer Pflanzen auf 169 Arten gestiegen ist. 30 Arten sind neu für die arctische Flora, so dass diese aus dem Miocen 321 Arten enthält. Dazu kommen nun aber noch die 1873 in Spitzbergen neu entdeckten Arten.

Die artenreichste Fundstätte miocener Pflanzen Grönlands ist Ober-Atanekerdluk, welche dem Unter-Miocen angehört. Sie bildet den besten Maasstab zur Vergleichung der Floren der übrigen Lokalitäten, die wir noch durchgehen wollen.

	Zahl der Arten.	Neue Arten.	In Atanekerdluk.
Iglosungoak	7	—	5
Netluarsuk	19	5	11
Ifsorisok	17	2	11
Asakak	6	—	5
Sinifik	14	1	12
Puilasok	27	9	9

Diese Uebersicht zeigt uns, dass an den fünf erst genannten Lokalitäten die Mehrzahl der Arten mit Atanekerdluk übereinstimmt. Von *Iglosungoak* war uns eine Art (Pteris sitkensis) bislang nur von Sitka, eine (Salix elongata) aus dem Unter-Miocen von Deutschland und der Schweiz bekannt, von *Netluarsuk* eine nur von Spitzbergen (Sequoia Nordenskiöldi), eine nur aus Island (Sequoia Sternbergi) und eine nur aus dem Banksland (Pinus Macclurii); von *Ifsorisok* eine nur aus Spitzbergen und Puilasok (Sphenopteris Blomstrandi), 2 nur aus der europaeischen Flora (Sclerotium Cinnamomi und Taxites validus); von *Asakak* eine (Smilax lingulata) nur aus der baltischen Flora, und von Sinifik eine (Sclerotium populicola) nur aus Oeningen. Dazu kommen noch einige wenige neue Arten, die überdiess nur selten auftreten. Es bieten daher alle diese fünf Lokalitäten dasselbe Pflanzenbild wie Atanekerdluk und zeigen uns, das während der langen Zeit der mächtigen Basaltablagerungen keine wesentliche Aenderung in der Flora vor sich gegangen ist.

Puilasok dagegen weicht von Atanekerdluk und allen erwähnten Lokalitäten wesentlich ab. Es theilt mit denselben nur $^1/_3$ seiner Arten, während die andern Fundstätten mit Atanekerdluk über die Hälfte, ja bis $^6/_7$ der Arten gemeinsam haben, und zwar sind diess gerade von häufigsten Arten, welche das Aussehen der Flora voraus bedingt haben. Gerade diese fehlen Puilasok, so die sonst überall verbreiteten Sequoien, und auch das Taxodium ist sehr selten und erscheint in einer eigenthümlichen Form. Dagegen sind die Weiden häufig, welche an den übrigen Lokalitäten fehlen oder doch nur sehr sparsam vorkommen. Es hat Puilasok die meisten neuen Arten geliefert, von denen die Apeibopsis Nordenskiöldi durch ihre grossen Blätter sich auszeichnet. 8 Arten waren uns bis jetzt nur aus der europaeischen Miocen-Flora bekannt, von denen 4 Oeningen angehören. Es sind diess Populus mutabilis, Salix longa, S. tenera und Acerates veterana. Diese erscheinen bei uns in der obern Molasse; indessen sind Populus mutabilis und Acerates veterana auch in der Unter-miocenen baltischen Braunkohle gefunden worden. Ueberhaupt theilt Puilasok mit dem Ober-Miocen im ganzen 9, mit dem Unter-Miocen aber 15 Arten. Obwohl daher Puilasok eine wesentliche Aenderung in der Flora anzeigt und einzelne bis jetzt als Ober-miocene Pflanzen bekannte Arten einschliesst, hat es doch mit dem Unter-Miocen Grönlands und des nördlichen Deutschlands mehr gemeinsame Arten als mit dem Ober-Miocen der Schweiz. Es mag eine Uebergangsstufe zu demselben bilden und vielleicht unserem Mittel-Miocen entsprechen.

ERKLÄRUNG DER TAFELN.

Miocene Pflanzen von Grönland.

Taf. I.

Fig. 1. a. Polyporites Sequoiae HR von Netluarsuk. 1. b. Sequoia Sternbergi. c. ein Same.
Fig. 2. Sclerotium Cinnamomi HR von Ifsorisok. 2. b. vergrössert.
Fig. 3—5. Sphenopteris Blomstrandi HR von Ifsorisok. 4. b. Taxodium distichum.
Fig. 6. von Iglosungoak. 6. a. Pteris sitkensis HR. 6. b. c. Glyptostrobus europaeus BRGN sp.
Fig. 7. Muscites subtlis HR von Netluarsuk. Fig. 8. vergrössert.
Fig. 9. 10. Taxites Olriki HR. 9. von Sinifik. 10 von Asakak.
Fig. 11. Taxites validus HR von Ifsorisok.
Fig. 12. Glyptostrobu Ungeri von Asakak. 12. b. vergrössert.
Fig. 13—29. Biota borealis HR. 13. a. Stück des Fruchtzapfens mit 2 Samen. 14 diess vergrössert. 13 b. Zweige. 13. c. d. Zweige von Taxodium distichum. Von Netluarsuk.
Fig. 15. a. Zweige von Biota borealis. 15. b. von Taxodium distichum, von Netluarsuk. 16. Zweigstück vergrössert.
Fig. 17. Zweiglein von Biota borealis. 18. dreimal vergrössert.
Fig. 19. 21. Zweiglein mit Knospen von Biota borealis von Netluarsuk.
Fig. 20. von Ifsorisok.
Fig. 22. 23. 24. Nüsschen von Biota borealis von Netluarsuk. 23. b. vergrössert. 25. von Atanekerdluk.
Fig. 26. Zäpfchen von Biota borealis von Atanekerdluk. 26. b. vergrössert. 27. Reste eines Zäpfchens. 28. Querschnitt.
Fig. 29. Biota boreal s; restaurirt.
Fig. 30. Sequoia Nordenskiöldi HR, von Netluarsuk.

Taf. II.

Fig. 1—4. Sequoia Sternbergi von Netluarsuk. 1. b. 3. b. vergrössert.
Fig. 5. Sequoia Langsdorfii, Zapfen, Längsdurchschnitt, von Atanekerdluk. Fig. 6. von Netluarsuk.
Fig. 7. 8. Zapfen von Sequoia brevifolia HR? von Atanekerdluk.
Fig. 9. Blattnarben. 9. b. vergrössert.
Fig. 10. 11. Pinus Macclurii HR Zapfen von Netluarsuk. 10. Längsdurchschnitt des Zapfens
Fig. 12. Pinus hyperborea HR von Sinifik.
Fig. 13. Pinus Nadeln von Ifsorisok.
Fig. 14—17. Carex Noursoakensis HR. 14. Blattstück von Ifsorisok. 14. b. vergrössert. 15. Fruchtaehre von da. 16. Frucht vergrössert. 17. Blätter von Atenekerdluk.
Fig. 18. Nyssidium grönlandicum HR von Netluarsuk. 19. vergrössert.
Fig. 20. a. Populus arctica von Sinifik. b. Blattstück mit Sclerotium populicola. c. vergrössert. d. Taxodium distichum.
Fig. 21. Taxodium distichum var. von Sinifik.
Fig. 22. Corylus insignis HR. Ifsorisok.

Taf. III.

Fig. 1. 2. Phragmites multinervis HR. 1. Netluarsuk. 2. Ifsorisok. 2. b. vergrössert.
Fig. 3. Cyperus Sinifikianus HR von Sinifik. 4. Aerchen von Atanekerdluk. 4. b, vergrössert.
Fig. 5. 6. Elaeagnus arcticus HR. Frucht. Netluarsuk.
Fig. 7. Smilax lingulata HR von Asakak.
Fig. 8. Salix elongata O. WEB. Iglosungoak.
Fig. 9. Populus arctica. Asakak.

Fig. 10. Corylus. Nuss. Asakak.
Fig. 11. Fruchtbecher von Fagus Deucalionis von Netluarsuk. 12. Blatt von Atanekerdluk.
Fig. 13. Ostrya Walkeri HR. von Atanekerdluk.
Fig. 14. Carpinus grandis UNG. 14. von Sinifik. 14 b. von Ifsorisok.
Fig. 15. Salisburia von Puilasok.
Fig. 16. Cornus von Puilasok.
Fig. 17. Pterospermites spectabilis HR von Ifsorisok.
Fig. 18. Apeibopsis Nordenskiöldi HR von Puilasok.

Taf. IV und V von Puilasok.

Taf. IV.

Fig. 1. Poacites Nielseni HR.
Fig. 2. Potomogeton Rinkii HR.
Fig. 3. Potomogeton dubius HR. 3. b. vergrössert.
Fig. 4. Pecopteris gracillima HR. 4. b. vergrössert.
Fig. 5. Taxodium distichum HR. var.
Fig. 6. Pinus. 6. b. vergrössert.
Fig. 7—10. Salix longa AL. BRAUN.
Fig. 11. a. Salix tenera AL. BRAUN. 11. b. Daphne persooniaeformis. WEB.
Fig. 12. Populus mutabilis HR.
Fig. 13. Myrica lingulata HR.
Fig. 14. Myrica grosse serrata HR. Neben dem Blatt die Frucht.
Fig. 16. Diospyros Loveni HR.
Fig. 17—19. Andromeda narbonensis SAP. 17. b. vergrössert.

Taf. V.

Fig. 1—3. Andromeda narbonensis SAP.
Fig. 4. Aristolochia borealis HR.
Fig. 5. Acerates veterana HR.
Fig. 6. Apeibopsis Nordenskiöldi HR.
Fig. 7. Acer angustilobum HR.
Fig. 8. Crataegus antiqua HR.
Fig. 9. Celastrus firmus HR.
Fig. 10. 11. Leguminosites longipes HR.
Fig. 12. Cistelites punctulatus HR vergrössert.
Fig. 13. Cistelites minor HR vergrössert.

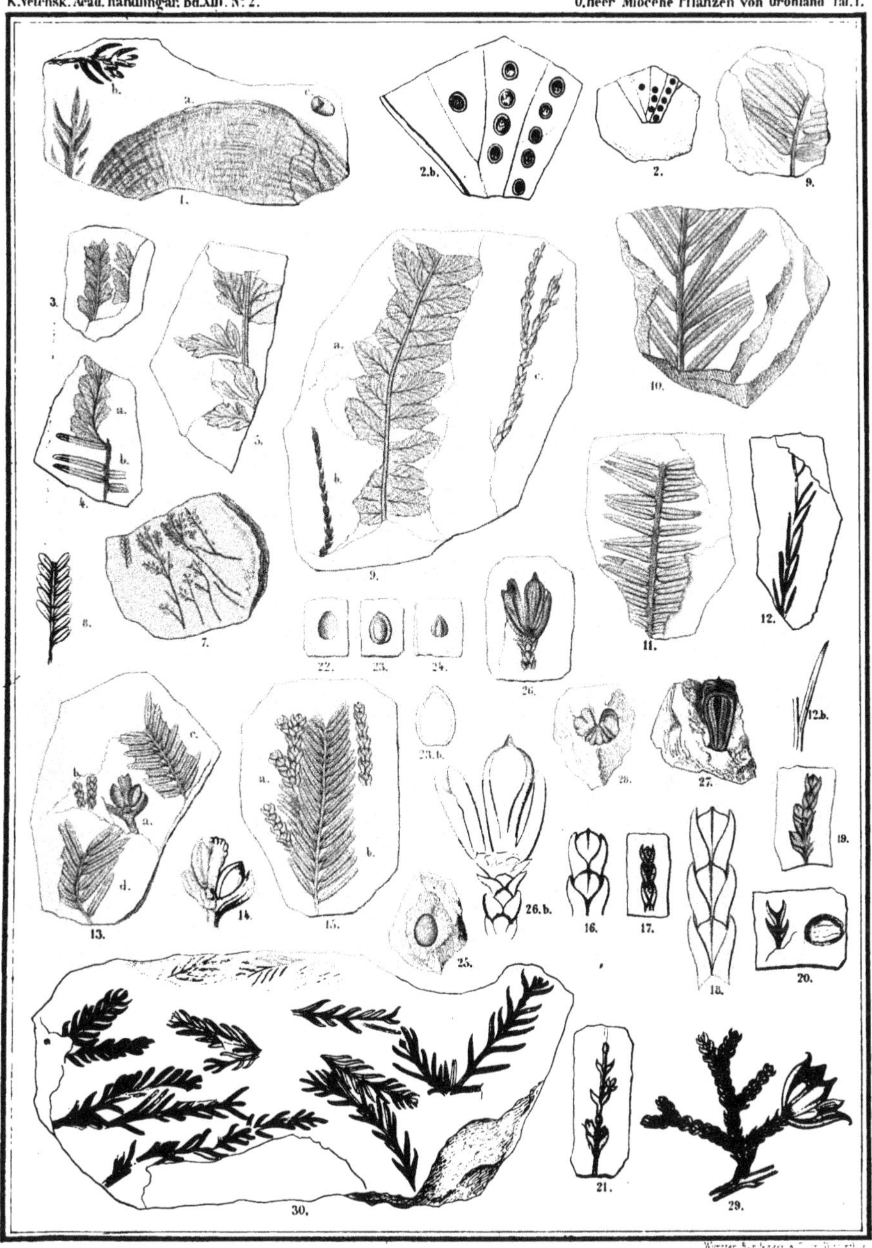

Wurster Randegger & C.ie in Winterthur

Fig. 1. Polyporites Sequoiae. 2. Sclerotium Cinnamomi. 3–5. Sphenopteris Blomstrandi. 6. Pteris Sitkensis. 7 & 8. Muscites subtilis. 9. 10. Taxites Olriki. 11. T. validus. 12. Glyptostrobus europaeus. 13–29. Biota borealis. 13. c. d. 15. b. Taxodium distichum. 30. Sequoia Nordenskioldi.

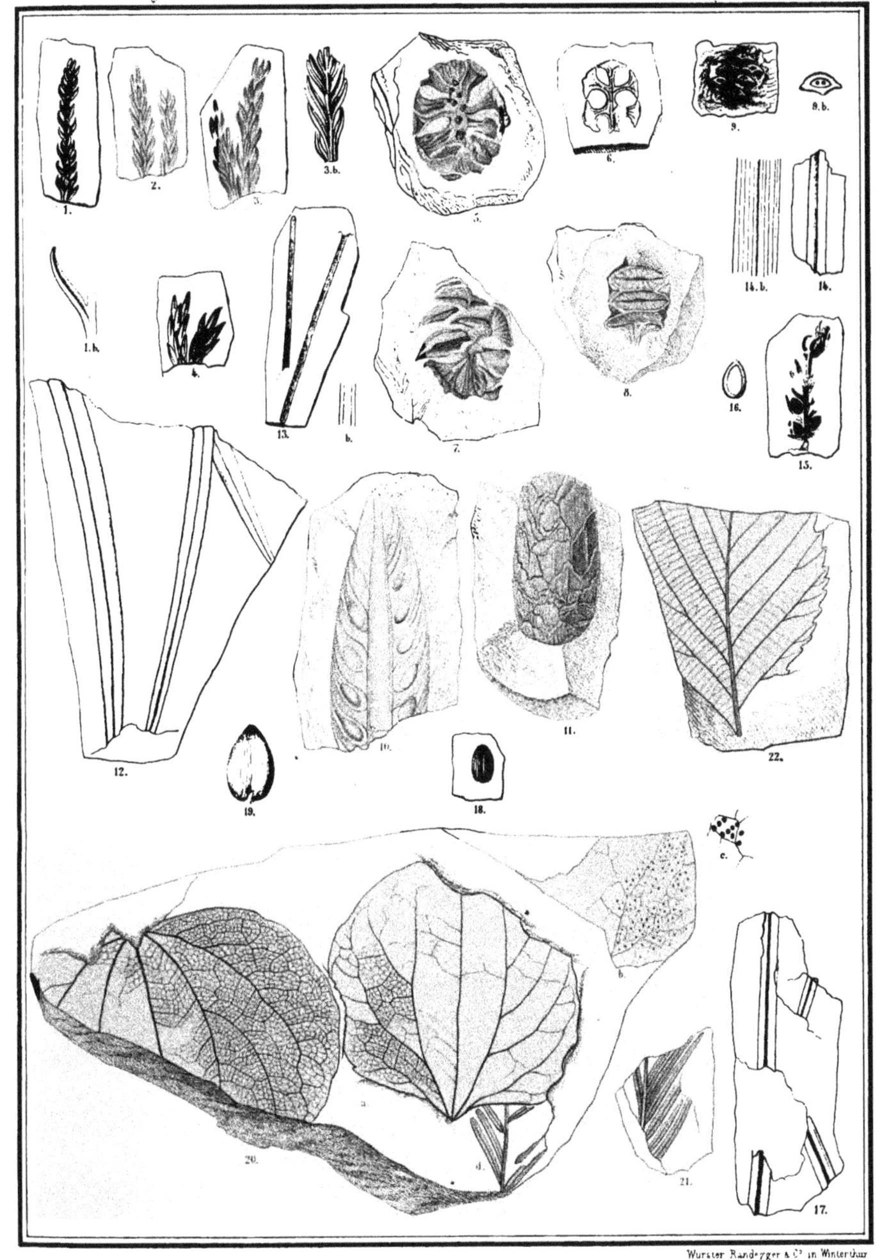

Wurster Randegger & C° in Winterthur

Fig. 1-4. Sequoia Sternbergi. 5. 6. S. Langsdorfi. 7. 8. S. brevifolia. 10. 11. Pinus Macclurii. 12. P. hyperborea. 13. Pinus. 14-17. Carex noursoakensis. 18. 19. Nyssidium grönlandicum. 20 a. Populus arctica. 20. b. c. Sclerotium populicola. 20. d. 21. Taxodium distichum. 22. Corylus insignis.

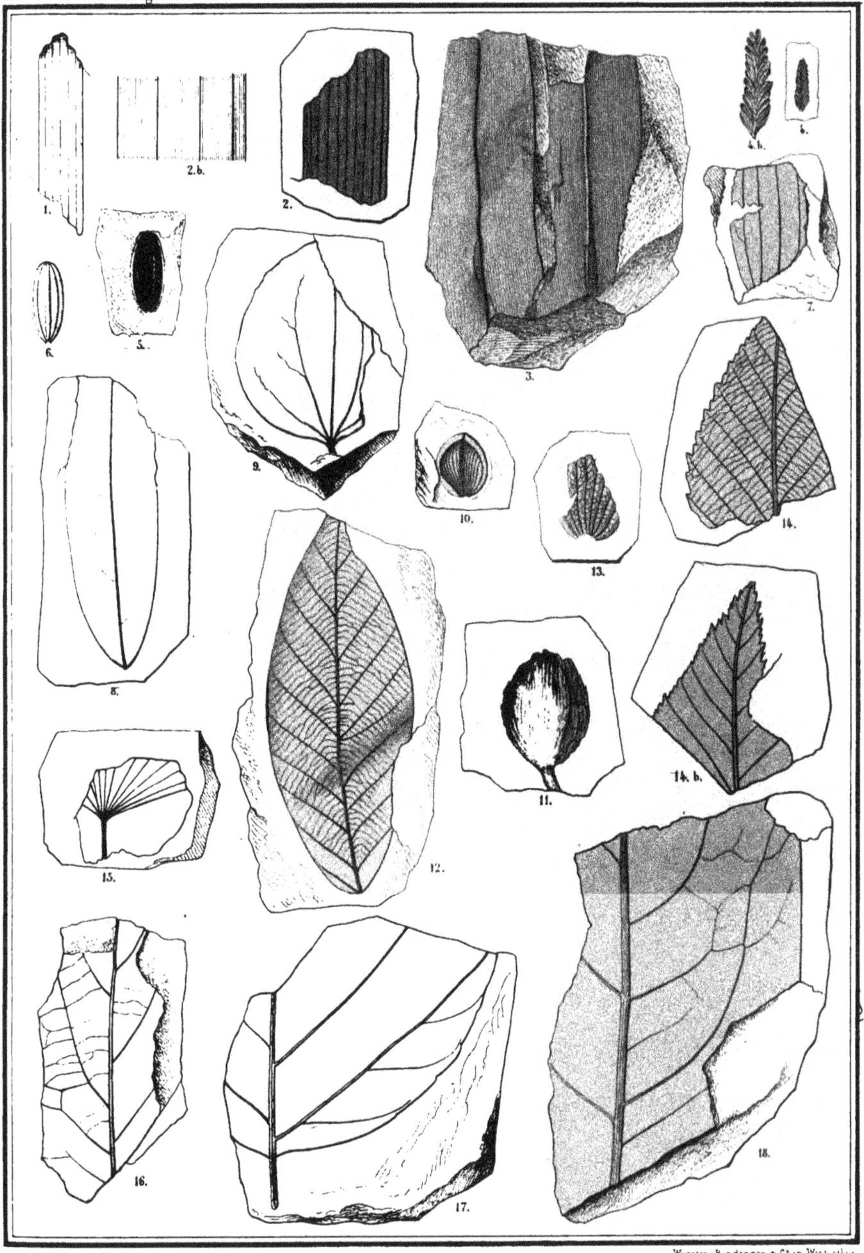

Wurster, Randegger & C° in Winterthur

Fig. 1. 2. Phragmites multinervis 3. 4. Cyperus Sinsfikianus 5. 6 Elaeagnus arcticus. 7. Smilax lingulata 8. Salix elongata 9 Populus arctica. 10. 12 Fagus Deucalionis 13. Ostrya Walkeri 14. Carpinus grandis. 15. Salisburia. 16. Cornus. 17. Pterospermites spectabilis. 18. Apeibopsis. Nordenskiöldi

CPSIA information can be obtained
at www.ICGtesting.com
Printed in the USA
BVHW061606301018
531651BV00014B/343/P